© 1997, l'école des loisirs, Paris
Loi numéro 49 956 du 16 juillet 1949 sur les publications
destinées à la jeunesse : mars 1997
Dépôt légal : mars 2000
Imprimé en France par Mame Imprimeurs à Tours

Olga Lecaye

L'ombre de l'ours

l'école des loisirs
11, rue de Sèvres, Paris 6^e

Victor Petipois se promenait à l'orée de la forêt,
à la recherche de quelques noisettes
ou des dernières mûres.
Tout à coup, il se retrouva plongé dans l'obscurité.
Une ombre gigantesque lui cachait le soleil.
Terrifié, il leva les yeux.

Un ours énorme, le Seigneur Martin en personne,
le regardait… très gentiment.
«Voyons», lui dit-il. «N'aie pas peur,
ce n'est que mon ombre ! Tu voudrais bien,
toi aussi, avoir une ombre qui fait peur
à tout le monde ? Eh bien, je te la prête, si tu veux,
pendant que je fais ma sieste.»

Avant que Victor n'ait eu le temps de lui répondre,
l'ours s'en alla dans sa caverne en lui criant :
«Mais surtout, qu'elle soit là à mon retour !
Je compte sur toi !»
Et Victor se retrouva tout seul,
avec cette ombre immense s'étendant devant lui.

Tout content, il se mit à gambader, à sauter,
pour faire bouger sa nouvelle ombre dans tous les sens.
Tous les petits animaux s'enfuyaient, terrorisés,
à son approche. Victor s'amusait terriblement.
Lui, si petit, qui d'habitude avait peur de tout,
à son tour faisait peur à tout le monde.
Mais la Sorcière-voleuse-d'ombres était là,
cachée derrière un arbre, à le guetter.

Depuis toujours, elle cherchait le moment
de voler l'ombre à l'ours, pour devenir
la Sorcière-la-plus-terrible-du-monde.
Mais elle avait peur de l'ours.
Aussi, quand elle vit le petit lapin jouer tout seul
avec l'ombre, elle se précipita pour la voler
et s'enfuit vers sa demeure.
Victor eut tout juste le temps de saisir un bout
de sa robe et fut entraîné à toute vitesse.

«Piffff !» cria la sorcière devant la porte de sa maison.
La porte s'ouvrit toute seule.
«Paffff !» cria-t-elle une fois rentrée.
Et la porte se referma sur elle.
Et sur Victor.

La sorcière, sans voir que Victor était entré
à sa suite, alla cacher sa prise.
Resté tout seul, le petit lapin essayait de voir
quelque chose dans l'obscurité qui l'entourait.
Il entendit soudain un drôle de bruit :
«Croak ! Croak ! Croak !»

Levant la tête, il aperçut une cage dans laquelle
une belle corneille était enfermée. Elle l'appela :
« Vite ! Vite ! Ouvre ma cage ! La sorcière m'a prise
pour une ombre à cause de ma couleur et m'a enfermée ! »
Victor monta sur un tabouret et, tandis qu'il ouvrait
la petite porte, une souris apparut et murmura :
« Moi aussi, la sorcière m'a prise pour une ombre,
une ombre noire sur le gris du soir… »

Mais la sorcière revenait.
La corneille surgit de la cage ouverte,
saisit le petit lapin et la souris
et les emporta vers le haut de la maison.

Passant par la cheminée, elle les déposa sur le toit et s'envola vers son nid en chantant de bonheur pour sa liberté retrouvée.

Mais la sorcière, furieuse, grimpait déjà l'escalier pour les rattraper.

«L'ombre de l'ours», se rappela soudain Victor.
Sans hésiter, il sauta du toit sur un petit appentis
et fit s'ouvrir la porte en criant comme la
sorcière : «Piffff!»

Tandis que celle-ci essayait de passer par la cheminée pour aller sur le toit, Victor se faufila dans la cave pour retrouver l'ombre de l'ours.

Tenant l'ombre roulée sous son bras comme un tapis,
Victor bondit au-dehors, mais il n'eut pas le temps
de crier « Paffff ! » pour refermer la porte,
car la sorcière était sur ses talons.

La petite souris n'avait pas perdu son temps.

Montée sur un arbre devant la maison, elle avait grignoté de toutes ses petites dents une vieille branche qui tomba juste lorsque la sorcière sortait de la maison.

Elle se prit les pieds dedans et, le temps de s'en démêler avec sa longue robe, elle ne put jamais, jamais les rattraper.

Lorsque le Seigneur Martin, revenant de sa sieste, sortit de la caverne, Victor et la souris déroulaient justement l'ombre devant lui.

«Aaaahh!» bâilla-t-il. «Comme j'ai bien dormi! Et toi, petit Victor, tu t'es bien amusé? Tu peux reprendre mon ombre quand tu veux, tu sais!»

«Euh… non merci… vraiment, Monsieur l'ours», répondit Victor. «C'est très gentil…»

Et prenant la petite souris par la main, il alla gaiement retrouver ses amis dans la forêt.